E

fine

PAR A

Préface de Daviel Lazure Vieira
Texte de Daviel Lazure Vieira + Marie-Frédérique L.-Milot
Impression de Litho Acme Transcontinental, Canada
Design de Maxime Lévesque

Édition Le Comptoir d'Ailleurs
Imprimé au Canada

ISBN-13 : 978-2-9809614-0-3
ISBN-10 : 2-9809614-0-X

Dépôt légal - Bibliothèque et Archives Nationales du Québec, 2006
Dépôt légal - Bibliothèque et Archives Canada

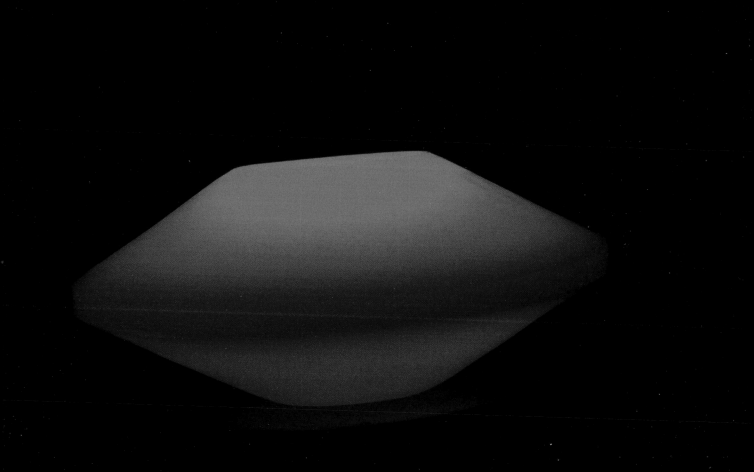

Je dédie ce livre à Charlotte
                    Marie-Laurence
        Bruno
            François.

Merci à Claudine, je conserve précieusement, amoureusement, tes paroles et
tes gestes qui m'ont donné des ailes et m'ont encouragé à réaliser mes désirs
les plus fous. Et pour toi ma lumineuse Alice, je te souhaite l'impossible, de
grandir avec des rêves plein la tête.

Merci à Maxime, pour ton talent, ton amitié et ton support, tu as su
insuffler à ce travail le corps et l'âme nécessaires, des balbutiements
de cette aventure jusqu'aux dernières étapes de sa création.

FRAGMENTS
D'ESPACE
PAR
DAVIEL LAZURE VIEIRA

Elle a pris tant de temps à nous parvenir, la lumière, que déjà, elle s'estompe, elle semble
s'éteindre, prématurément. Elle vient de la nuit obscure, du début, du néant. Du vide, du
rien. Personne ne sait comment elle est arrivée-là, mais une chose est sûre, c'est qu'elle y
est. Elle illumine, elle rayonne, et pourtant, elle est si petite, si fragile. Si tendre, douce.
Simplement présente, en filigrane. Sa lueur se reflète sur les murs, sur le plafond, sur les
objets, les êtres. Elle projette des ombres multiples, elle bouge, assombrit parfois pour
éclairer ailleurs, déformant l'équilibre de la pièce, délivrant des perspectives nouvelles
et infinies, décuplant l'espace. Elle est difficile à saisir. Et soudain, en une seule, longue,
douce respiration, elle s'efface. La bougie laisse lentement s'échapper un peu de fumée,
comme un dernier souffle. C'est tout, c'est terminé. Elle n'est plus. Maintenant, il n'y a
que le noir, le silence.

La lumière a toujours été un phénomène curieux, étrange. L'Univers est-il lumineux, ou ténébreux?
Comment les corps célestes peuvent-ils émettre des rayonnements? Pourquoi mesurer une distance
astronomique à partir d'une année-lumière, c'est-à-dire, le laps de temps durant lequel un photon
parcourt le vide absolu, total, béant, ce vide qui nous fait si peur, ce vide qui nous donne le vertige,
le vide du cosmos?

PREFAC E

Et pourquoi l'être humain est-il doté de cette curieuse capacité de voir ? Non seulement de voir, mais aussi de saisir la lumière ? Qu'est-ce que la photographie, qu'est-ce que le travail du photographe, sinon celui de capturer cette lumière-là, justement ? Ce qu'il y a d'intéressant dans les clichés, les instantanés, les planches contact, c'est cette répétition d'une sorte de big-bang. Une petite pression sur l'appareil, une minuscule explosion, et dès le déclic, l'appareil attrape la lumière, la garde, l'emprisonne. Elle se développe ensuite dans une chambre noire, elle doit être contrôlée de façon très précise, parce qu'au moindre faux-pas, elle fait sa capricieuse et décide de tout faire rater, de faire rater la photo. Mais lorsqu'on en prend soin, lorsqu'on la traite avec tendresse, elle accepte de faire l'effort de s'imprimer sur du papier, de se débarrasser de sa pudeur et de s'étaler devant nos yeux.

J'ai immédiatement pensé à l'immensité du monde, des planètes, des comètes, des systèmes solaires, dès que j'ai vu les premières épreuves photographiques du travail de Pierre Choinière. Bien sûr, on y voit aussi quelque chose de concret, des bougies, le métier exercé avec amour par des passionnés de la paraffine, de l'objet, cet exotisme et cette chaleur dégagés par le Maroc, la terre des Touaregs et du Sahara. Mais aussi quelque chose d'abstrait, auquel on n'aura jamais une réponse claire et précise, parce que cette lumière-là, même si elle accepte de se poser dans les pages de ce livre, ne se dévoilera jamais entièrement. La lumière que nous offre Pierre Choinière est en état embryon-naire, en perpétuel mouvement, comme s'il avait réussi à capturer un nouveau big-bang, une nouvelle explosion, et qu'il laissait à notre oeil, à notre regard, le soin de l'aimer. De naître avec elle.

AMIRA

Peut-être est-ce l'appel du désert, de ces reflets rougeâtres, de la magie des lieux ou du mystère entourant le Maroc et plus particulièrement Marrakech, peut-être est-ce parce qu'en quelques instants, à une seule odeur, à un seul regard, on peut instantanément aimer, tomber amoureux fou d'une parcelle d'infini. Peut-être est-ce pour ces multiples raisons que Géraldine et Rodolphe Guilmoto décident de s'initier à l'art de la fabrication des bougies, dans le patio d'un riad, après avoir tout quitté en France pour vivre définitivement au Maroc, en 2000.

Après plusieurs mois d'apprentissage, de tests et de recherches, ils mettent en marché leurs premiers nés ; des bougies et des objets en paraffine, des sphères flottantes, des photophores carrés, des lanternes... La flamme de la création et de la découverte est toujours vive, plus que jamais d'ailleurs. Ils fondent en mars 2001 "Amira Bougies", une équipe de passionnés qui dessine, invente, crée ses bougies et ses objets de décoration, en alliant les méthodes artisanales traditionnelles aux techniques de fabrication les plus modernes. Les matières premières sont rigoureusement sélectionnées, afin de donner vie à un produit de qualité, unique, coloré et haut de gamme.

BOUGIE   S

Du patio de leur riad, lors de leur arrivée au début du nouveau millénaire, en passant par diverses locations dans la ville rouge, « Amira Bougies » s'est désormais installé dans un atelier de près de 2000 m2 dans la zone de Sidi Ghanem, à Marrakech, depuis juillet 2005.

Qu'est-ce que c'est, l'amour ? C'est en partie cela, choisir de tout quitter, un jour, partir, sans savoir ce qui arrivera le lendemain, parce qu'on aime, simplement, on aime d'une douce folie la ville de Marrakech, la paraffine, la poésie des lueurs, de la lumière et des ténèbres, en sachant que ce n'est jamais la destination qui en vaut la peine, mais bien tout le voyage nécessaire pour y arriver.

Au coeur de Jemaa el Fna, au coeur de la ville, il y a le jeune Tarek, qui
tient entre ses mains quelques miettes d'univers, les restes d'un monde, de
Marrakech, la ville rouge. Ici, on y trouve des badauds, des mendiants, des
guérisseurs, des musiciens, des vendeurs, des danseurs, des charmeurs de
serpents, et lui aussi, Tarek, le fils de la lumière. Oui, c'est bien lui, qui
emprisonne dans un photophore les odeurs,
les couleurs, la chaleur, le soleil et la beauté du
Maroc. C'est lui, Tarek, le gardien, qui se trouve
au milieu de tout ça, et qui contemple toute cette
splendeur, enfermée, là, dans un photophore,
réelle et présente. Tout près.

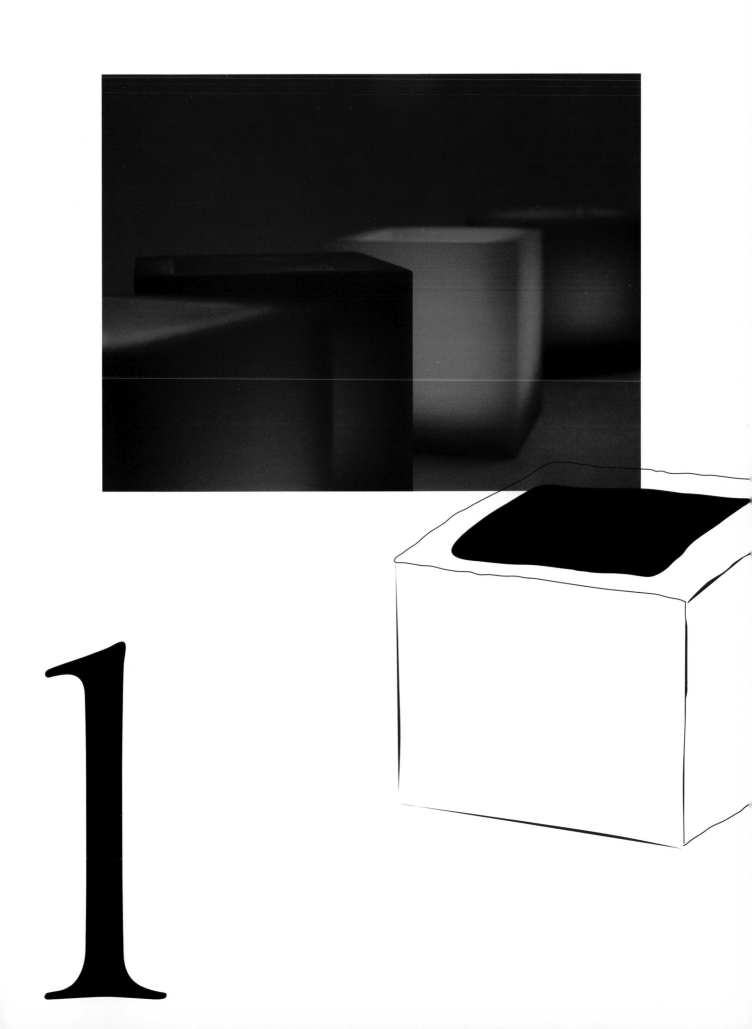

1

VOLUPTUEUSE

PÉNOM-
BR E

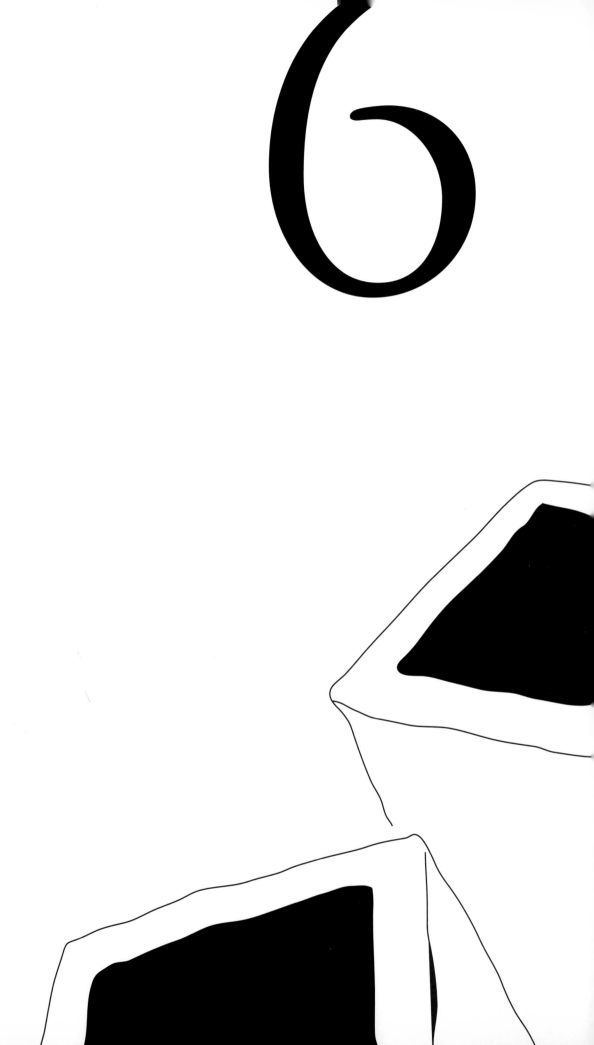

LA

BO

ET SI

TOUTE

MAGIE

SE TROU-
VAIT

DANS UNE

CI
-TRON

VER T

CO   D' -BEILL

R AGRUMES

14

CLAI - OSBSCURS

CHAQUE FLAM-
ME
QU'ON ALLUM

ST UNE BRÈCHE
DANS
LE TEMPS

20

FC

PURETÉ

DES

rme ḪES

FÉÉRIQUE CHIMIE

22

COMME
UNE
ÉCLIPSE

29

DÉLICATE GÉO
MÉTRIE

33

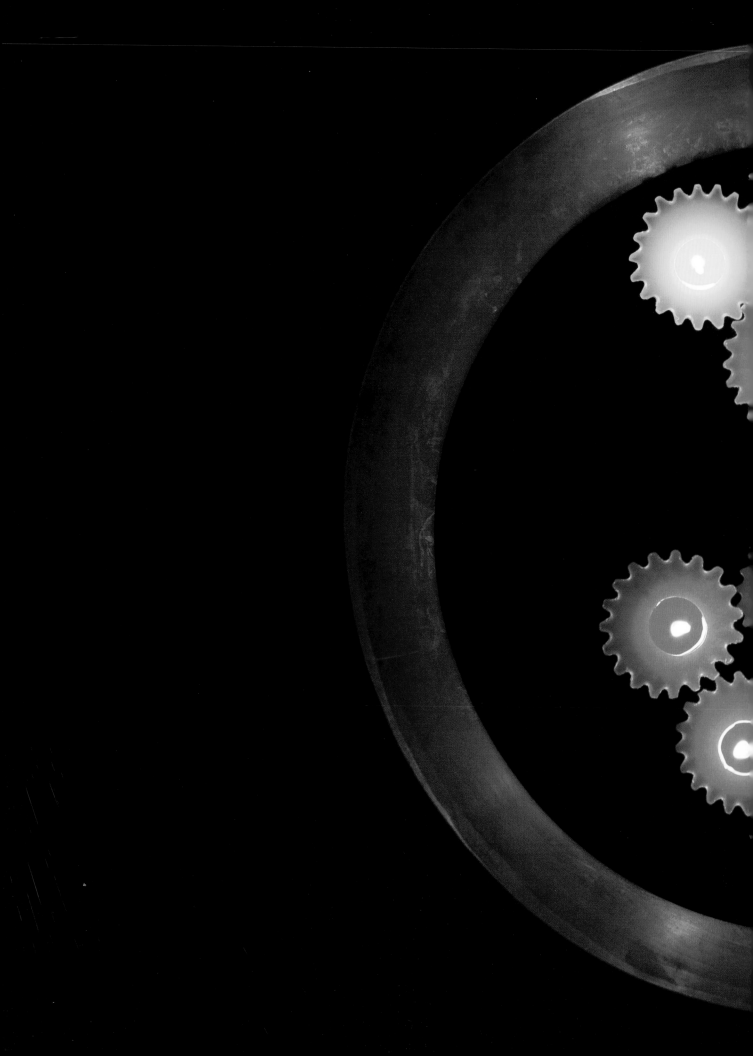

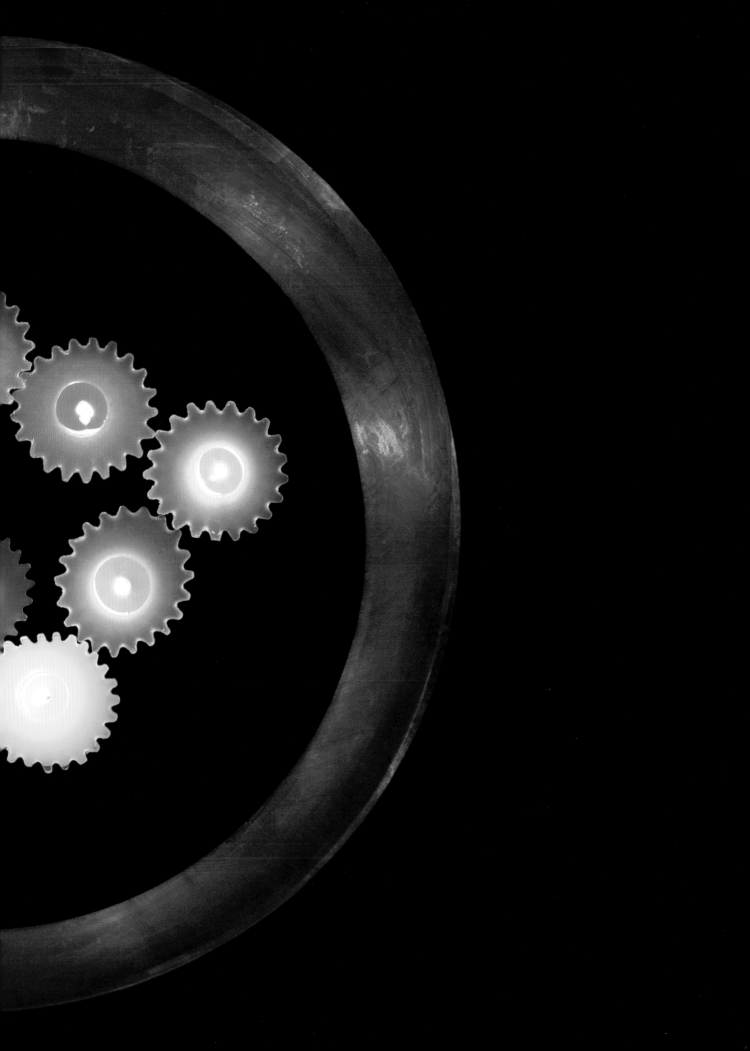

36

UN HALO DANS LE NOIR

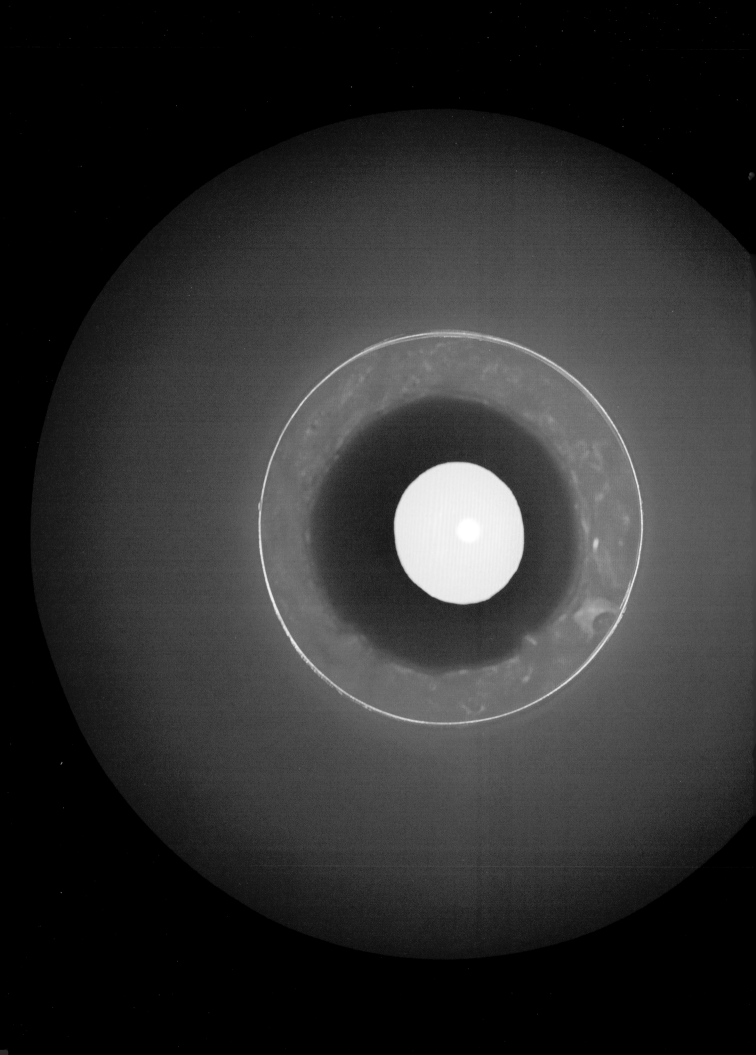

41

42

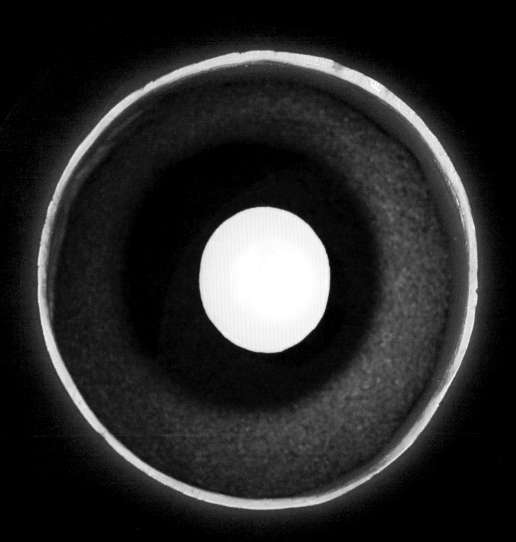

44

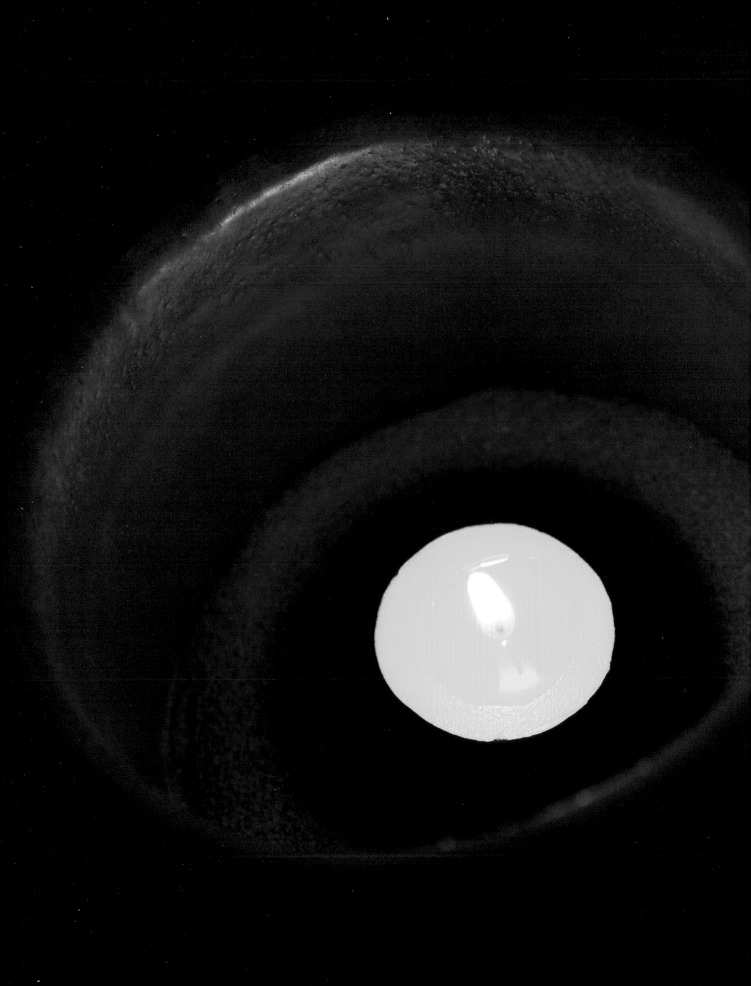

ÉQUILIBRE

50

LIBRE

BRE

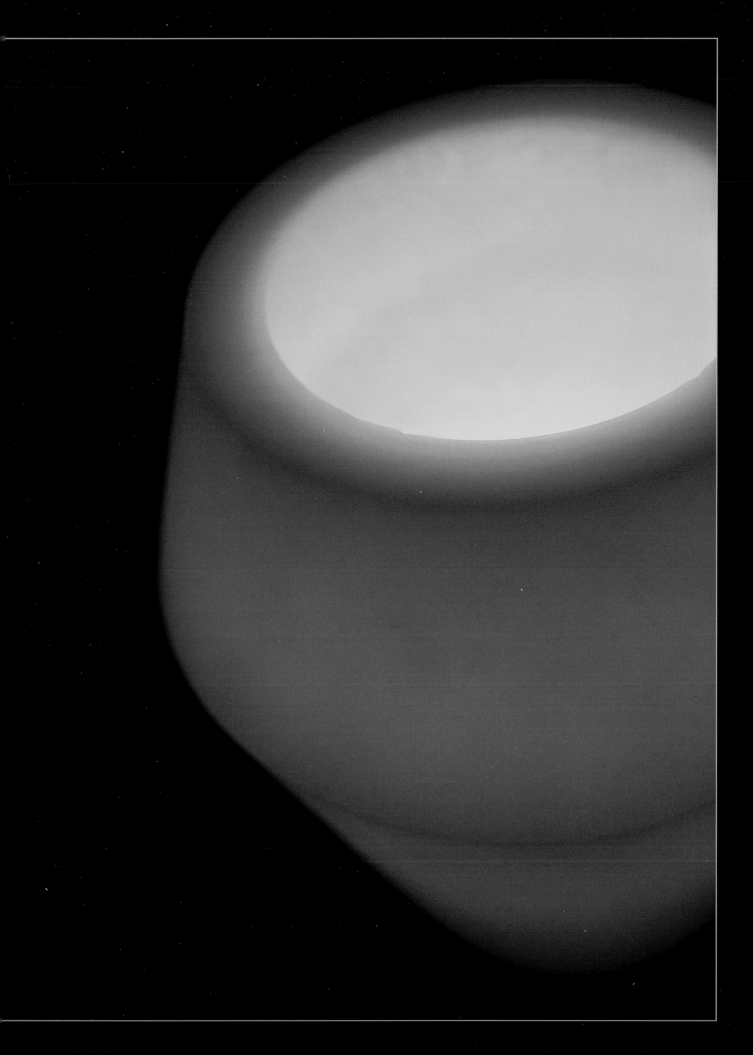

54

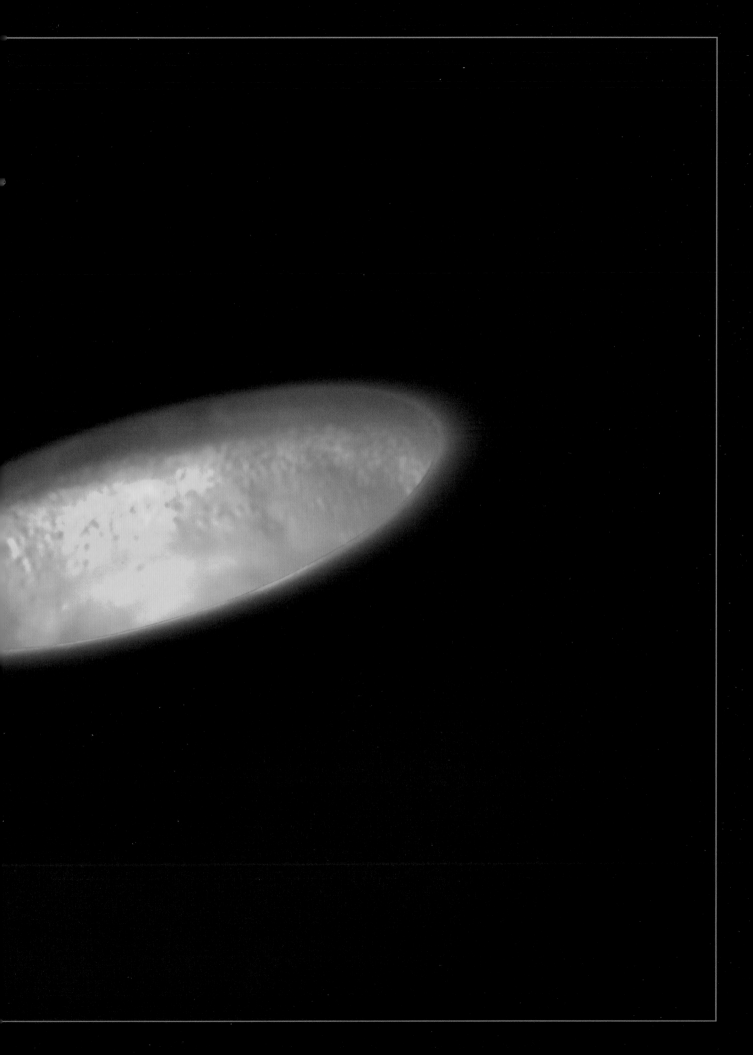

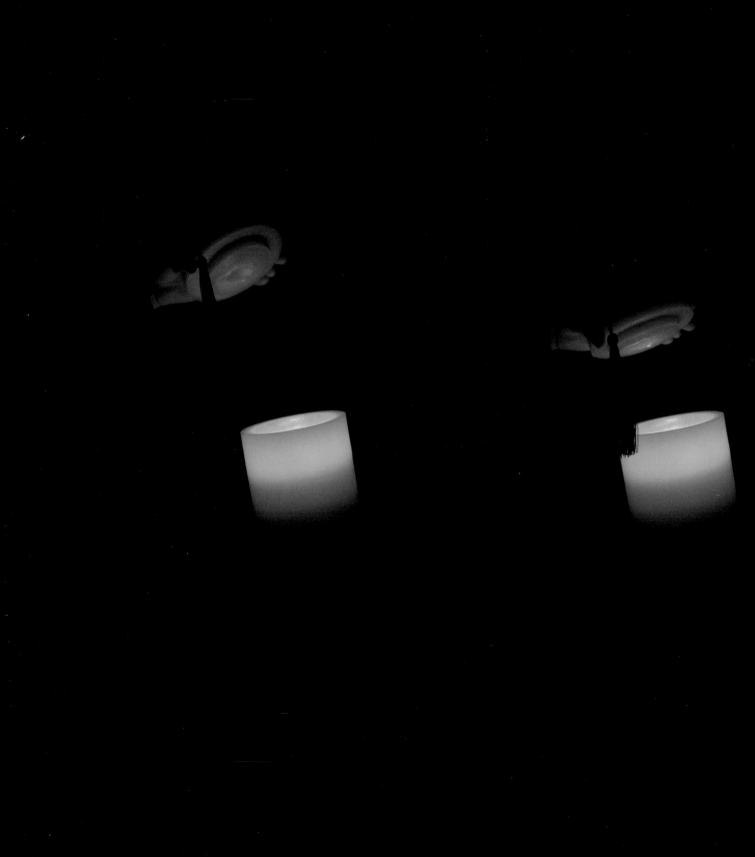

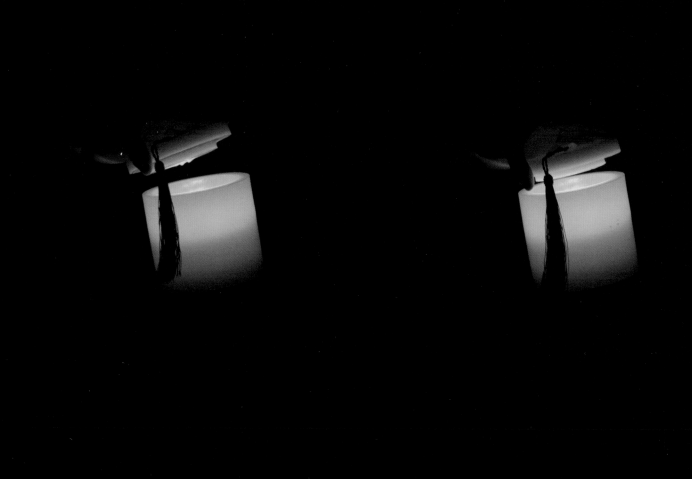

AT E

-LIER

H A

-NIE

73

FAIRE JAILLIR LE
OU R
DE LA NUIT

76

DO   U-

CES

TEXTURE   S

82

EF
FLUVE S
GOURMANDES

88

IMAGINER LA LUMIÈRE

FLEUR
DE
C ACAO

97

JADE

106

MODELE   R

VOYAGER
PAR

LA
MAIN DE

L'ARTISA N

112

LAVANDE

SAFRAN

V. OLIVE

O.FONCE

IVOIRE

V. CLAIR

R.FRAMB

J. CITRON

CARAMEL

EAN

LILAS

VIOLET

TERRA

COQUELICOT

BORDEAUX

GRIS

V. ANIS

FUSCHIA

ROSE PALE

R. INDIEN

B. DUR

TURQUOISE

116 INVERTER

LES COULEURS

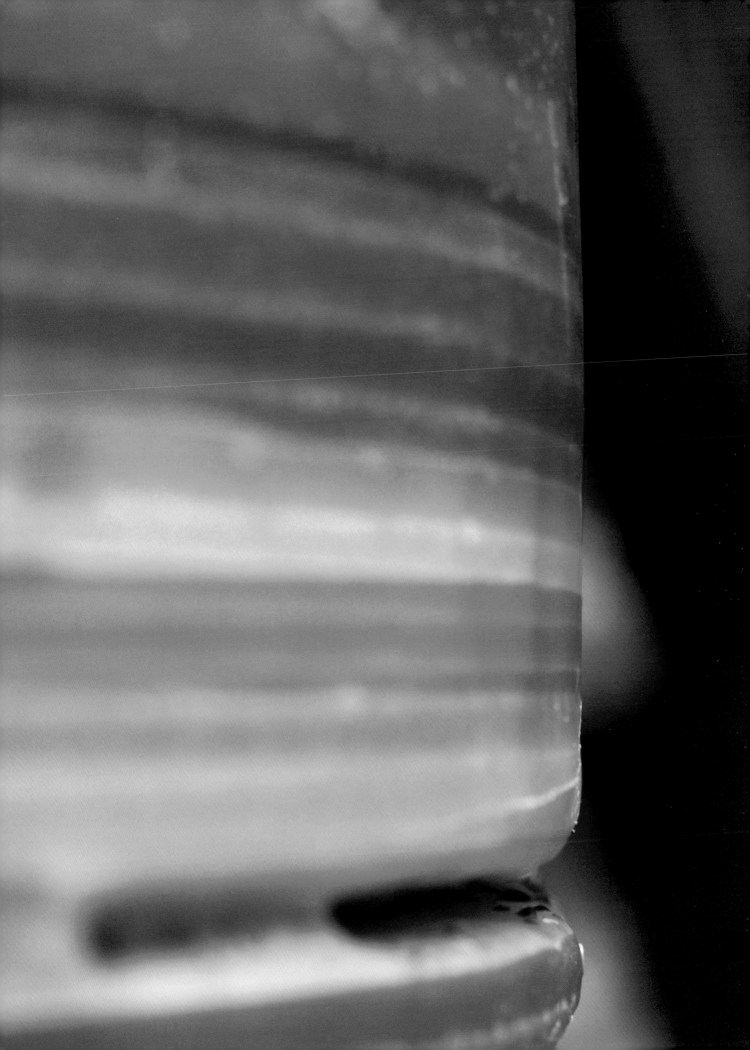

120

LUMINEUSES

S ENTI-

122

N   LES

Pierre Choinière est photographe depuis de nombreuses années. Après avoir étudié
à la School of Modern Photography de New York, il fait ses premières armes dans la
photographie de décoration et d'architecture, avant de poursuivre sa carrière dans le
domaine artistique (cinéma, théâtre, musique) pour finalement se spécialiser dans
la photographie de mode et publicitaire.

Il séjourne à Paris, même s'il garde une vive affection
pour le Maroc, y faisant des rencontres par lesquelles
se dessinent l'âme d'une exposition personnelle sur
ce pays. Il fait ensuite la connaissance de véritables
amoureux de la paraffine et de la fabrication de
bougies, et il n'en fallait pas plus pour qu'il décide
de se lancer lui aussi dans l'aventure en créant sa
propre boutique, avec l'aide de complices et d'amis.

PI ERRE
CHOINIÈRE

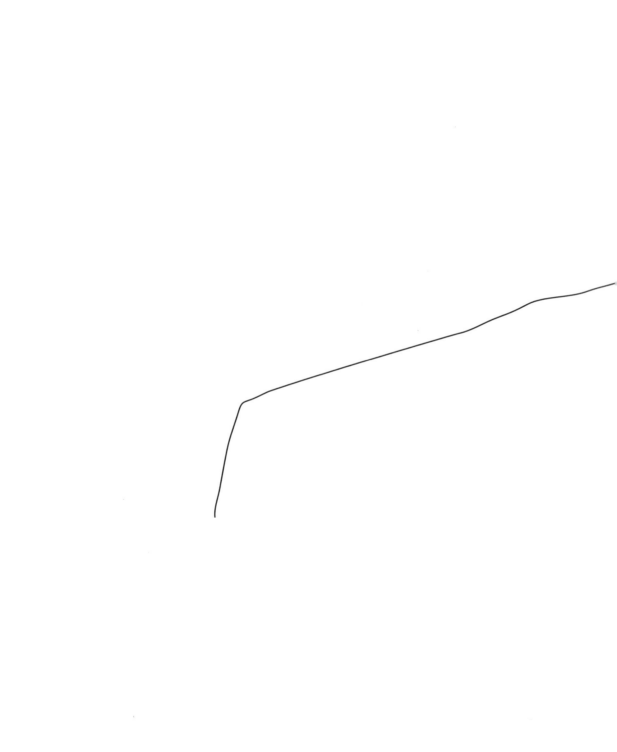